BASHIR LAZHAR

DU MÊME AUTEUR

THÉÂTRE

Personnages secondaires, Éditions Elæis, 1999.

Toka, pièce inédite, 2000.

Élucubrations couturières, pièce inédite, 2001.

Les journaux de ma grand-mère in *Yanardagh*, pièce inédite, 2001.

Théâtre : Des fraises en janvier, Au bout du fil, Culpa, Henri et Margaux, Fides, 2003.

Au bout du fil suivi de *Bashir Lazhar*, Éditions Théâtrales, 2004.

Au bout du fil, 1re édition, Éditions Elæis, 1999.

Chinoiseries, pièce inédite, 2005.

L'éblouissement du chevreuil, pièce inédite, 2006.

Désordre public, Fides, 2006.

L'héritage de Darwin, Lansman, 2008.

L'imposture, Leméac, 2009.

Les pieds des anges, Leméac, 2009.

Le plan américain (avec Daniel Brière), Leméac, 2010.

ROMAN

La concordance des temps, Leméac, 2011.

Evelyne de la Chenelière

BASHIR LAZHAR

théâtre

LEMÉAC

Ouvrage édité sous la direction
de Jean Barbe

Photographie de couverture : © Valérie Remise

Leméac Éditeur reconnaît l'aide financière du gouvernement du Canada par l'entremise du Programme d'aide au développement de l'industrie de l'édition (PADIÉ) pour ses activités d'édition et remercie le Conseil des arts du Canada, la Société de développement des entreprises culturelles du Québec (SODEC) et le Programme de crédit d'impôt pour l'édition de livres du Québec (Gestion SODEC) du soutien accordé à son programme de publication.

ISBN 978-2-7609-0416-3

© Copyright Ottawa 2011 par Leméac Éditeur
4609, rue d'Iberville, 1ᵉʳ étage, Montréal (Québec) H2H 2L9
Dépôt légal – Bibliothèque et Archives nationales du Québec, 2011

Imprimé au Canada

À mes enfants

Avant-propos

À tous les maîtres, à tous les élèves et à tous les autres.

Si je maîtrisais quoi que ce soit, je serais maître, de musique, par exemple, ou d'école, ou d'autre chose.

Alors je m'y dévouerais à m'en esquinter la mâchoire, parce que j'aurais tant de choses à enseigner avant que le temps passe, je parlerais vite par peur d'ennuyer mes élèves, j'essayerais de faire de l'humour, pour qu'ils me pardonnent de les obliger à rester assis.

Parfois je tremblerais à l'idée d'une telle responsabilité, à la seule idée qu'une marque d'impatience, d'irritabilité ou d'indifférence puisse briser à tout jamais une grande histoire d'amour entre un enfant et l'apprentissage. Si je devais, un matin où je serais fatiguée, ne pas voir une plaie pourtant béante, si je devais, de ma seule parole de maître, anéantir un rêve ou une ambition, je ne m'en remettrais pas.

D'autres fois, je serais sans courage devant l'ampleur de la tâche, j'aurais envie de coucher ma tête sur mon bureau de maître, et d'avouer à mes élèves que je ne maîtrise rien et encore moins la situation, et ils regarderaient mon triste spectacle, désolés et impuissants.

Autant vous dire que je serais sans doute un très mauvais maître, et c'est l'une des raisons qui m'ont fait écrire cette sorte d'hommage.

Avec toute mon admiration,

Evelyne de la Chenelière

CRÉATION

Théâtre d'Aujourd'hui, janvier 2007

Mise en scène : Daniel Brière
Interprétation : Denis Gravereaux
Décor : Oum-Keltoum Belkassi
Éclairages : Nicolas Descôteaux
Environnement sonore : Danny Braün
Guitare et percussions : Alain Auger
Chant : Seana Pasic

L'acteur est face au public. Seul son visage est éclairé. On ne sait pas bien s'il s'adresse au public, puis on se rend compte qu'il s'entraîne devant son miroir.

Bonjour, je m'appelle Bashir Lazhar. Je remplace votre professeure Martine Lachance, qui, comme on vous l'a appris, sera désormais absente.

Bonjour, ça va bien? Je suis votre remplaçant et je m'appelle Bashir Lazhar. Vous pouvez m'appeler monsieur Lazhar. Martine Lachance ne viendra pas aujourd'hui.

Bonjour, mon nom est monsieur Lazhar et vous pouvez m'appeler Bashir, je suis le remplaçant de votre professeure. Je serai votre enseignant pour un temps indéterminé.

Bonjour les enfants, Martine est absente et c'est moi qui la remplacerai de mon mieux.

Bonjour, je suis un remplaçant professionnel diplômé en règle et on m'a demandé de remplacer votre professeure Martine Lachance.

Bonjour, je viens assurer la suppléance de Martine Lachance qui vous a quittés. Qui nous a quittés.

Salut, moi c'est Bashir, et vous? Écoutez, sans jeu de mots, pas de chance, Lachance n'est pas là, elle n'est pas près de revenir, alors on se met au travail et je vais tâcher d'être un prof cool, populaire et tout. O.K.?

Noir. Au retour de la lumière, on sent maintenant qu'il est face à un auditoire. Il est derrière un pupitre de professeur.

Bonjour, je m'appelle Bashir Lazhar. Je remplace votre professeure Martine Lachance, qui, comme on vous l'a appris, sera désormais absente.

On ne m'a pas donné beaucoup d'informations, je sais que vous êtes la sixième année B. C'est ça? Bon. Ça peut vous paraître bizarre mais je sais pas ça fait quel âge, ça, sixième année. Vous avez quel âge? Dix ans? Onze ans? Parfait. Toi, treize ans? D'accord. Silence, s'il vous plaît. En général, onze ans. D'accord. Bon, je vais prendre les présences. *(Il fouille sur son pupitre.)* Bon, excusez-moi, je n'ai pas de liste, on ne m'a pas donné de liste, alors vous allez vous nommer chacun votre tour et je vais écrire ma propre liste. Alors. Toi, quel est ton nom? Camille Soucy. Avec un i? Non, pas «Camille»; «Soucy»: avec un «i»? «Y», d'accord. *(Il écrit.)* Et toi? Giovanni Bonamichi. Bouonamichi? Pardon. Comment l'épelles-tu? *(Il écrit:)* B-u-o-n-a-m-i-c-h-i. Parfait. Silence, s'il vous plaît. Ton nom, s'il te plaît? Abdelmalek Merbah. D'accord. Et toi? Pardon? Peux-tu épeler, s'il te plaît? *(Il écrit:)* Gagnon-McCarthy. Merci. Bon. Je crois que je me procurerai une liste plus tard. Je ne veux pas vous faire perdre de temps et cet exercice prend trop de temps. Nous allons donc commencer la classe. D'abord, j'aimerais savoir: les pupitres placés en rond et deux par deux, c'est exprès? Ah bon. Et c'est permanent? Je veux dire, est-ce que madame Lachance les place, pardon, les plaçait comme ça toujours? Je veux dire toujours comme ça?... Une seule personne à la fois, s'il vous plaît. Oui, toi?... Des projets d'équipe, oui. Bon, je n'ai pas été tenu au courant de vos projets d'équipe, alors pour l'instant, nous allons, s'il vous plaît, replacer les pupitres en rangées, un pupitre derrière l'autre. Allez-y. Sans faire trop de bruit, s'il vous plaît.

Il se retourne et parle à quelqu'un d'imaginaire, dans un flash-back. Il est essoufflé.

Bonjour, madame la secrétaire. Je suis Bashir Lazhar et je viens remplacer madame Martine Lachance... Oui, je sais, excusez-moi, je me suis un peu perdu. Oui, d'accord. Sixième année B? D'accord, mais ça fait quel âge, ça? Oui, je me dépêche. Deuxième étage à droite. Bien, madame. Bonne journée. Pardon?... Bon courage à vous aussi, madame. Mais pourquoi est-ce que j'ai besoin de courage?

Retour en classe.

Arrêtez, c'est suffisant. Je les replacerai mieux plus tard. Laissez les pupitres comme ça. C'est trop bruyant et nous risquons de déranger les autres classes. Laissez les pupitres comme ils sont et asseyez-vous, s'il vous plaît. Silence, s'il vous plaît. Je... je ne sais pas où vous en êtes dans le programme, je... nous allons faire une dictée – silence, s'il vous plaît –, comme ça je pourrai me rendre compte du niveau de la classe et vous offrir un enseignement approprié dans les prochains jours. Prenez une feuille et un crayon. *(Il sort un livre.)* Il s'agira d'un extrait de *La peau de chagrin*, de Balzac, œuvre que vous connaissez sans doute... Je vous en prie, silence! Bon. Je commence. Je lis l'extrait une première fois pour vous en donner le sens global, puis

15

je reprendrai avec la ponctuation. «Mes onze cents francs devaient suffire à ma vie pendant trois ans, et je m'accordais...» Non, vous n'avez pas à écrire pour l'instant, écoutez seulement. Je continue. «... et je m'accordais ces trois années pour mettre au jour un ouvrage qui pût attirer l'attention publique sur moi, me faire un nom. Je me réjouissais en pensant que j'allais vivre de pain et de lait, comme un solitaire de la Thébaïde; restant dans le monde des livres et des idées, dans une sphère inaccessible, au milieu de ce Paris si tumultueux, sphère de travail et de silence, où je me bâtissais, comme les chrysalides, une tombe, pour renaître brillant et glorieux... J'allais risquer de mourir pour vivre...»

Voilà. Je reprends et je vous fais la dictée cette fois. Pardon? Non, c'est vous qui écrivez, mais c'est moi qui vous fais la dictée. Je dicte, et vous écrivez. Silence, je commence. «Mes onze cents francs...» *(Son de cloche.)* Restez assis! Qu'est-ce que c'est que ça?... La récréation? Déjà? Bon, allez-y. À tout à l'heure. Nous reprendrons la dictée.

Flash-back. Bureau de la directrice.

Bonjour, madame la directrice. C'est gentil à vous de me recevoir... Merci. *(Il s'assoit, la chaise est très loin du bureau.)* Non, je ne suis le parent d'aucun élève. Je ne suis pas un parent d'élève. Je m'appelle Bashir Lazhar et je viens pour le poste de remplaçant. Je sais, je sais, mais on m'a dit que j'aurais peut-être une chance en me présentant directement étant donné les événements qui ont occasionné... Oui, madame. Dans les journaux, madame. Je me suis dit que, enfin, sans vouloir profiter avec désinvolture d'une crise dans votre établissement, enfin, de ce qui me semble

16

être une crise… Je comprends. C'est terrible, bien sûr. … Sixième année, oui, je connais. C'est ce que j'ai toujours fait. Non, je suis résident permanent au Canada. Je n'ai pas mes papiers sur moi, mais je peux vous… Non, je suis parti pressé, la seule carte que j'ai sur moi, c'est ma carte d'autobus ! *(Il rit puis se ravise.)* Bien sûr. Non, jamais à Montréal. À Alger pendant huit ans. Voilà. Oui, je comprends. Oui, bien sûr. … Le programme, oui, je peux le lire et… Voilà. Je vous propose ceci. Voici mon numéro de téléphone… Pardon ? Non, je n'ai pas de curriculum vitæ sur moi. J'ai des travaux d'élèves que j'ai corrigés. Je les ai apportés, j'en avais gardé des copies parce que ce sont les dernières corrections que j'ai faites et elles comptent beaucoup pour moi. Je veux dire que j'aime beaucoup les enfants, comme vous sans doute, je sais, et je me doute bien que vous ne voulez pas les confier à n'importe qui … *(Il sort une pile de feuilles qu'il tend devant lui, puis il les range.)* Bon, très bien. Vous pouvez m'appeler si vous êtes désespérée. C'est pas ce que je voulais dire. Je voulais dire, si jamais vous ne trouvez personne, enfin si vous jugez bon de… enfin je suis disponible pour un temps plein, temps partiel, temps double…

Il se lève.

Retour en classe, une semaine plus tard.

Bonjour tout le monde. Prenez vos places. Même toi, May. Lester, quatre pattes, une chaise. Bon, silence, s'il vous plaît. J'ai corrigé les dictées, et je n'ai pas de félicitations à vous faire. Silence. Je crois que nous devrons nous pencher sérieusement sur la conjugaison. Pardon ? Lève ta main avant de parler, Simon. Ce que tu dis nous intéresse. Oui, Simon ?

La conjugaison, c'est la manière d'écrire les verbes selon leur temps et leur personne. À titre d'exemple : « Mes onze cents francs devaient suffire… » Devaient. Imparfait du verbe « devoir », à la troisième personne du pluriel : « a-i-e-n-t ». Vous avez tendance à mettre un « s » dès qu'il s'agit du pluriel. Pourtant, en conjugaison, cette règle ne s'applique pas. Un peu plus difficile : « Un ouvrage qui pût … » non pas du verbe « puer » mais bien du verbe « pouvoir ». Silence. C'était une plaisanterie. Silence. La plaisanterie ne doit pas être un prétexte à abandonner le travail. … « qui pût attirer ». « Attirer » est alors à l'infinitif, et sa terminaison est « e-r » et non « e » accent aigu. Phuong, si tu pouvais mettre ta main devant ta bouche quand tu bâilles, j'en serais ravi. « … Qui pût attirer » est donc le verbe « pouvoir » conjugué au subjonctif imparfait et « pût » prend un accent circonflexe, mais je peux concevoir que vous ne maîtrisiez pas ce temps de verbe. C'était un petit piège. J'aime bien les petits pièges. Bref. « Chrysalide ». J'ai eu droit à des orthographes des plus fantaisistes, et pour ceux qui l'ont écrit correctement, je devine que c'est tout à fait par hasard. Quelqu'un peut me dire ce qu'est une chrysalide ? … Non ? … Personne ? Une chrysalide est un insecte à l'étape entre la chenille et le papillon. Donc, dans un cocon, bientôt prêt à déployer ses ailes. Comme vous. Alors, si un jour votre maman vous appelle en vous disant « viens souper, ma petite chrysalide », vous saurez ce qu'elle veut dire.

Flash-back. Il se couche et parle à sa femme.

Mon beau papillon de nuit. Tes yeux noirs comme de la bonne terre. De l'engrais à faire rêver les mouches. Nous sommes cinq comme une seule main, une main qui a un air de famille et d'une chanson douce. Regarde. *(Il lui prend la main et compte ses doigts en les nommant :)* Bashir, Fatema, Abdel, Aïcha, et Alice. Mon amour, mon amour ! Ici, on aime mal. Je vais t'aimer mieux ailleurs, ou du moins je veux savoir comment on aime ailleurs, comment on fait pour aimer quand on n'a plus rien à craindre. Mon amour, j'emporterais bien tous tes enfants, toute la classe et tous les yeux noirs du pays sur un seul bateau, mais il faut bien des enfants un peu partout dans le monde, il en faut partout et peut-être qu'il y en aura un dans ta classe, dans ta classe à toi, qui saura inspirer la paix à un pays tout entier, et qui se souviendra de toi et qui dira « mais oui, je me souviens de madame Fatema, bien sûr, celle qui disait qu'on doit parler avec des mots et pas avec ses mains, que les mains sont faites pour caresser les chats, et les poings pour cacher des surprises et les coups de pieds pour jouer au ballon », et il te citera à la télévision : « Fatema Lazhar, la femme qui m'a donné le courage de devenir un homme ». Mais non, je ne me moque pas ! *(Il rit. Sonnerie de téléphone. Il se lève.)* Allô ? Allô, j'entends mal ! Allô ?

Retour en classe.

Sortez votre cahier d'exercices, s'il vous plaît. Comment ?

Vous deviez avoir un cours d'anglais. Mais qui vous enseigne l'anglais ? Ah, c'était madame Lachance… Oui, mais moi, je ne parle pas l'anglais… Oui, j'ai beau remplacer madame Lachance, je ne parle pas anglais… D'ailleurs, je trouve bien ambitieux de vous faire apprendre une deuxième langue alors que vous ne maîtrisez pas la première…

Tant que vous ne saurez pas bien parler français, ça ne vous donne rien d'apprendre l'anglais. Parce que vous connaissez trop peu de mots en français. Il vous faudra beaucoup plus de mots pour survivre, pour donner l'impression que vous maîtrisez la situation, pour faire croire que vous ne doutez pas, pour embrouiller les autres et ainsi les manipuler pour obtenir ce que vous voulez d'eux. Non, ce n'est pas ce que je voulais dire, bien sûr que non.

Flash-back.

Madame la directrice? Je ne voudrais pas vous interrompre dans votre ouvrage, la porte était ouverte... Vous avez deux minutes? Une minute? Oui, je voulais vous parler de quelque chose. Je m'assois? *(Il s'assoit.)* Je suis un peu surpris d'avoir si peu de temps avec les enfants... Je veux dire, je n'arrive pas à leur apprendre tout ce que je juge... non, même pas, je veux dire, même le programme, qui n'est pas si chargé, au rythme où vont les choses, nous n'y arriverons pas... Les semaines filent, et il y a toujours quelque chose... La semaine dernière, il y a eu cette rencontre avec un pompier en classe, demain ils partent visiter une fabrique de fromage, puis encore après-demain nous manquons un cours de français pour assister à la pièce de théâtre de l'autre sixième année... Et puis tous les jeudis il y a la psychologue... Je sais, je sais, mais je crois que le groupe va bien... Je ne ressens pas le choc posttraumatique dont vous me parliez... Si quelques individus ont besoin d'aide, je ne crois pas qu'il faille pour autant priver tout un groupe de ses cours de mathématiques ou de français. Je sais que ça peut paraître dur, mais je crois que la tâche d'une école a ses limites.

Retour en classe, son de cloche.

Les enfants, vous pouvez sortir sans vous bousculer. …
Sans vous bousculer, on dirait que je libère des fauves,
ma parole. … Allez-y, allez prendre l'air, prenez tout ce
que vous pouvez, ne vous bousculez pas dans l'escalier,
regardez bien où vous mettez les pieds, ne ratez
pas de marche et couvrez-vous, n'allez pas prendre
froid et bâtissez des amitiés solides et enfermez des
souvenirs impérissables de vos années d'école et ne
rejetez personne, n'empêchez personne de s'amuser
avec vous, un jour je nourrissais les pigeons et il y
en avait un avec une seule patte, il lui manquait une
patte et ça lui donnait l'air idiot, et je ne voulais pas
le nourrir parce qu'il me dégoûtait un peu, avec son
moignon mauve, ma mère m'a dit de le nourrir, lui
aussi, et peut-être même plus que les autres, parce
qu'il avait besoin de beaucoup de courage pour vivre.
D'ailleurs, on a toujours fait allusion à mon courage,
dont je pourrais avoir besoin un de ces jours, et que
je fasse bien attention de ne pas ranger mon courage
trop loin au cas où j'en aurais besoin. Je ne sais pas
pourquoi je vous raconte tout ça, peut-être pour que
vous vous parliez toujours avec une extrême tendresse.
Et moi, je vous promets que je resterai ici dans la classe
bien vivant, bien tranquille à tailler mes crayons, bien
sage, et vous me retrouverez bien sage et bien vivant
tout à l'heure, c'est promis. … Pardon ? Excuse-moi,
Martin, j'étais dans mes pensées. … Ah non. C'est
pas possible. Tu as besoin de prendre l'air comme les
autres. Tu dois aller t'amuser pour donner un sens à
la récréation et pour revenir disposé à apprendre des
choses et peut-être même à me poser des questions
qui me feront me dépasser comme enseignant, je veux
dire comme remplaçant. Allez. Descends rejoindre

tes amis. Non, tu ne peux pas rester. Tu ne seras plus capable de te concentrer si tu ne vas pas t'amuser. Va jouer avec tes amis. … Et puis j'ai besoin, moi aussi, de cette récréation pour me reposer de vous. Pour être tranquille, pour penser, tu comprends? Et surtout pour ne pas parler du tout parce que je ne sais pas si tu imagines ce que ça prend comme énergie de parler comme ça sans arrêt. Et c'est pas juste parce que vous, si vous arrêtez d'écouter, ça ne se voit pas, tandis que moi, si j'arrête de vous parler, ça se voit tout de suite. Allez, va vite avec tes amis. Comment, tu n'as pas d'amis? Mais tout le monde a des amis. Pardon, ce n'est pas ce que je voulais dire. Moi non plus, je n'ai pas d'amis, en tout cas pas d'ami assez proche pour jouer au ballon avec. Mais moi, j'ai le choc des cultures comme circonstance très atténuante. C'est le temps ou jamais de te faire des amis. C'est facile, tu n'as qu'à remarquer celui qui parle le plus fort et tu dis toujours comme lui, tu te moques de celui dont on se moque, et si c'est toi dont on se moque, tu ris très fort comme si ça ne te dérangeait pas. Autre chose très importante : quand on n'a pas d'amis, on ne se dirige surtout pas vers celui qui n'a pas d'amis non plus et qui pourrait avoir besoin d'amitié. Non, parce qu'on risque alors d'être identifié comme faisant partie d'un groupe qui n'a pas d'amis, et c'est très dur d'en sortir. Il faut se coller et se cramponner à celui qui a le plus d'amis, et rester bien accroché quoi qu'il arrive. Mais regarde-toi un peu, et dis-moi sérieusement comment tu penses te faire des amis avec des bottes pareilles? Il reste à peine quelques tas de neige, et toi, tu mets des espèces de bottes « entre-saison-imperméables-doublées » parce que ta mère a mis le nez dehors ce matin et elle a dit « tiens, c'est vraiment une journée d'entre-saison, tu mettras tes bottes d'entre-saison aujourd'hui ». Ça, c'est de l'amour maternel. Tu arrives à l'école tout plein d'amour maternel aux pieds et ça dérange, ça refroidit. C'est comme si tu affichais quelque chose du genre «je n'ai pas besoin d'amis, j'ai tout ce qu'il me faut comme amour maternel». ... Excuse-moi, qu'est-ce que tu disais, Martin? Mais oui, bien sûr, si tu as mal à la tête, évidemment, tu peux rester. Tu as souvent mal à la tête, non?

Flash-back. Sonnerie de téléphone qui dure longtemps. Ça lui donne mal à la tête.

Allô? Allô, j'entends mal! Allô? Saïd? Qu'est-ce qui se passe? Saïd? Allô? Pourquoi tu pleures? Allô? Pourquoi faut-il que je sois courageux encore une fois? Pourquoi maintenant? Allô? Quoi? Et c'est maintenant que je dois être courageux? D'accord, tout de suite, mais c'est la dernière fois. Vas-y, parle.

Retour en classe.

Bonjour. Comme vous le savez, c'est aujourd'hui que nous commençons les examens d'expression orale. Vous déposez la copie de votre rédaction sur mon bureau, et vous n'avez droit qu'à vos fiches, je vous le rappelle. Je pourrais procéder par ordre alphabétique mais je préfère vous demander s'il y a un volontaire qui souhaite, le premier, partager avec nous ce qu'il pense de la violence à l'école, puisque c'était le thème. Quelqu'un pour commencer?... Allons, un peu de courage, je veux dire, d'audace, je sais que c'est difficile de briser la glace... j'en tiendrai compte au pointage. ... Merci, Alice. Tu te mets ici, tu peux prendre tes fiches, mais tu regardes la classe, d'accord? Tu n'as pas de fiches? Ah bon, c'est comme tu veux. Nous t'écoutons, Alice.

Il va s'asseoir dos au public, faisant face à son bureau, et il écoute. Il essaie de prendre des notes mais n'y arrive pas.

Flash-back. Il se penche vers quelqu'un.

Alice. À quoi penses-tu? Tu replaces tous les objets quand tu deviens nerveuse, ou excitée, ou en colère, tu replaces tout pour que tous les objets te regardent. Peut-être parce que je ne te regarde pas assez. Mais si je te regarde trop longtemps, je n'aurai plus de courage pour partir. Dans notre nouvelle maison, plus rien ne sursautera. Aucun objet ni tes épaules. Tu prendras bien soin de ton frère, de ta sœur et de votre mère et de tous nos objets. La vaisselle, les bibelots, les cadres avec les photos. Ils vous regarderont tous vivre comme vous savez le faire, avec énormément de précision. Et toi, tu regarderas ta mère comme elle enseigne bien, comme elle choisit chaque mot pour qu'il reste dans votre mémoire, comme sa voix sait se taire, tout à coup, et laisser faire l'écho, et comme les enfants la regardent, tous, et regardent ses mains. Les mains qui t'ont lavée et bercée avant de mettre de la lumière au tableau. Ils regardent bouger les mains de ta mère, comme deux étincelles qui illuminent le tableau noir. Le tableau noir où tout est possible puisqu'on efface et qu'on recommence. Le tableau noir qui est bien mieux que nos nuits, qui peuvent s'effacer mais qu'on ne peut pas toujours recommencer.

Il retourne s'asseoir pour écouter l'exposé.

Il y a une fille devant moi qui se tortille les mains parce qu'elle n'a pas de fiche à plier. Elle s'appelle Alice comme toi, mais elle a les yeux bleus.

Il écoute longtemps. Puis il se lève et retourne à son bureau.

Ah, bonjour mademoiselle Lajoie. … Ah bon, si vous voulez, Claire, d'accord… Ah, vous trouvez? Merci, mais je ne sais pas vraiment danser, je… je me laisse aller à la musique! Oui, c'est une belle fête! Vous vous amusez? Oui, ça fait du bien de voir madame la directrice aussi détendue! Merci, c'est gentil, mais je ne prends pas d'alcool. … Non, non, ça ne me dérange pas que vous m'appeliez Bashir, c'est juste que je n'ai plus l'habitude. Ça fait six ans qu'on m'appelle monsieur Lazhar. Oui, les élèves aussi. Je suis pour le vouvoiement des professeurs. Je sais que ça peut paraître un peu dépassé… Vous savez, j'assume très bien ma réputation de vieux jeu… Vous riez tout le temps, vous. Non, non, au contraire, c'est très bien. Au fait, je vous félicite pour la pièce de théâtre, c'était très réussi. *(Elle n'entend pas bien à cause de la musique.)* La pièce! Oui, je dis: c'était très réussi!… Oui, il y en a qui ont beaucoup de talent. Et l'histoire, c'était de vous? Ah bon, c'était amusant, plein de fantaisie. Depuis, malheureusement, mes élèves tiennent absolument à faire la même chose, mais je leur ai bien dit que j'en étais incapable. D'ailleurs, je me demande bien comment vous avez réussi à intégrer tout ça à vos cours de français. Je veux dire, sans nuire à l'enseignement de la matière première. … S'exprimer? Ah ça, c'est sûr, j'ai remarqué qu'on leur demande beaucoup de s'exprimer ici… De vrais poètes. Non, je ne sous-entends rien, seulement j'ai choisi, moi, de leur apprendre à maîtriser leur moyen d'expression. Ils auront tout le temps de s'exprimer plus tard… Je vous ai froissée… Oh oui, je le sens bien, je ne voulais pas. Je suis très maladroit et j'admire tous vos projets très dynamiques. Je vous le jure. Tout ce dynamisme… Moi, je suis plutôt un dynamique de la craie blanche, si vous voyez ce que je veux dire. … C'est ça, bonne soirée. *(On sent qu'elle est déjà partie.)* Je suis sûr que vous étiez sur le point de m'inviter à partager votre coin de table de cafétéria des professeurs, mais j'ai tout gâché, évidemment. On aurait pu parler, il y a longtemps que je n'ai pas parlé à une femme.

Bureau de la directrice.

Madame la directrice? Bonjour. Non, ça ne prendra pas de temps. Je souhaite vous lire le travail d'une de mes élèves. Alice Lécuyer. Je crois que ça vaut la peine. Il s'agissait d'une rédaction qui devait être rendue également à l'oral devant toute la classe. Avec l'accord d'Alice et le vôtre, je souhaite faire imprimer ce travail, ou du moins certains de ses passages, et l'afficher dans les corridors de l'école parce que je crois qu'il peut être source de réflexion pour nous tous. Vous permettez que je lise? Vous me voyez assez excité, pardonnez-moi… Merci. Je ne saurai peut-être pas rendre toute la… je veux dire que je ne suis pas un acteur… je veux dire… oui, oui, je commence. Voilà. Je le lis tel quel, bien sûr il y a des erreurs de… d'accord, je commence.

«Mon école est la plus belle du monde. Elle a une cour où le ballon rebondit très bien. Elle a des dessins partout, et des casiers qui débordent avec des noms de filles et de garçons. Elle a un préau pour nous couvrir pour s'il pleut, une infirmerie avec des pansements pour si on est tombé, une collation pour si on a faim, des abreuvoirs pour si on a soif.

Mon école est pleine de sécurité, elle ne tolère pas la violence physique ni verbale.

Mon école vérifie de temps en temps si on a des poux, si on a des vaccins, si on a des bonnes dents, si on est des violents enfants, des agressifs enfants, des hyperactifs enfants, ou bien des normaux enfants.

C'est dans la plus belle école du monde que Martine Lachance s'est pendue avec son foulard bleu après le gros néon pendant la récréation de dix heures et quart. Moi ce qui m'a fait le plus de peine c'est que mes parents m'ont traitée de maudite menteuse jusqu'à ce que je leur apporte la première page du *Journal de Montréal.*

Martine Lachance était découragée de sa vie pis la dernière chose qu'elle a faite c'est de kicker sur sa chaise de professeur pour qu'elle tombe. C'est violent de kicker sur une chaise. Nous on a pas le droit. Comme on est plusieurs à avoir vu Martine accrochée après son foulard bleu, avec sa face comme si elle avait eu peur, tout le monde de l'école vient vérifier si on se sent pas coupables. Parce qu'il faudrait surtout pas qu'on soit complètement gâchés comme êtres humains. Il faut pas qu'on pense que Martine Lachance a voulu passer un message violent, il faut pas qu'on écoute ce que Martine Lachance a pas été capable de dire avec des mots simples, il faut pas écouter les morts qui ont pas eu la délicatesse de faire ça chez eux, il faut pas tout mêler, il faut pas mêler l'école pis la vie, il faut pas mêler l'école pis la mort, il faut pas qu'on y pense, parce que l'école pis la violence, ça va pas ensemble, sauf la violence qui se punit, pis on peut pas punir Martine Lachance, on peut pas lui faire copier vingt fois "je ne me pendrai plus en classe après avoir kické ma chaise de professeur". »

… Comment? Eh bien non, il y a eu… je dirais, un silence respectueux, une sorte de trouble, oui, mais tout à fait sain, je vous assure. Je ne crois pas que la classe ait été traumatisée, non. … Violent? Mais c'était le thème, madame la directrice. «La violence à l'école», c'était le thème que je leur avais donné. Non, je ne trouve pas que ce texte soit violent, enfin ce n'est pas le texte, qui est violent, c'est l'existence elle-même… Vous ne trouvez pas, vous, que la vie est violente?… Vous ne voulez pas afficher ce texte? Pourquoi?… Je ne vois pas pourquoi… Par respect pour madame Lachance? Mais pensez-vous qu'elle a respecté ses élèves, elle? Rien ne ressemble à une description macabre, dans ce texte, je trouve au contraire que les parents devraient lire ça et peut-être comprendre davantage avec quelle réalité leur enfant doit vivre à présent… Bon, et vous ne reviendrez pas sur votre décision? Je peux vous laisser le texte et… même pas? Bon… Bien. J'aurais pu avoir un projet très dynamique, vous savez, on me reproche mon manque de projets dynamiques, j'aurais pu, par exemple, leur faire composer un rap à partir des meilleurs textes sur la violence à l'école, j'aurais mis les pupitres en cercle pour avoir de l'espace, j'aurais dérangé les pupitres avec une souplesse toute nouvelle chez moi nous aurions répété pendant les cours de français et nous aurions fait un concert-bénéfice qui aurait financé des activités parascolaires très éducatives… Très bien, d'accord. Ou plutôt non. Je ne suis pas d'accord avec vous. Il faut savoir entendre les élèves avant qu'ils ne crient trop fort, madame la directrice. Évidemment, je ne commettrai pas d'insubordination, je me contenterai de féliciter Alice Lécuyer.

En classe. On sent qu'il est seul et il taille méthodiquement tous ses crayons.

Le libre partage de la pensée. La pensée libre. Libre donc folle. Je veux pouvoir dire tout, tout haut et très fort et partout, être même parfois injuste ou idiot mais tout haut, et puis toujours tout haut être peut-être une fois génial mais par hasard, être incohérent, puis redondant, puis imprécis, mais encore tout haut, et enfin être neuf ou original et que ce soit encore et toujours tout haut, à qui veut bien entendre, à qui veut bien répéter ou contredire, contrepenser, toujours tout haut et qu'il n'y ait de conséquence qu'une pensée qui circule, qui s'arrête quelque part et qui repart, comme un ballon gonflé d'hélium qui se coince parfois dans des branches et se renvole sans autre forme de procès.

Noir. On entend tailler des crayons.

Retour en classe.

« ... et je sais que de moi tu médis l'an passé. – Comment l'aurais-je fait si je n'étais pas né? reprit l'agneau, je tète encore ma mère. – Si ce n'est toi, c'est donc ton frère. – Je n'en ai point. – C'est donc quelqu'un des tiens; car vous ne m'épargnez guère, vous, vos bergers et vos chiens. On me l'a dit: il faut que je me venge. Là-dessus, au fond des forêts, le loup l'emporte et puis le mange, sans autre forme de procès. » ... Que nous dit cette fable? Quelqu'un a une idée? ... Si vous deviez la résumer en un seul mot? ... Oui, Abdelmalek? ... « Injustice. » Intéressant. Pourquoi? ... J'attends... Il faut savoir développer, Abdelmalek. Il ne suffit pas de crier à l'injustice. Nous croyons tous que l'agneau est victime d'une injustice puisqu'il n'a rien fait au loup pour mériter de se faire manger. Mais pourquoi est-ce injuste? Si le loup lui avait simplement dit: «Tu ne m'as rien fait, mais j'ai faim, je suis plus fort que toi et je vais te manger», y aurait-il eu injustice? Non? Est-ce en tentant de justifier son crime que le loup a rendu son crime injuste?

À lui-même, devant le commissaire (flash-back).

J'ai pourtant rempli ma fiche d'identification personnelle au mieux de mes connaissances, monsieur le commissaire.

Votre collègue m'a dit «bon courage». Je me suis demandé si c'était une formule ou bien s'il avait pesé ses mots. Je croyais ne plus avoir besoin de courage, parce que j'avais l'impression d'avoir épuisé tout mon courage depuis longtemps déjà. Je me voyais comme un naufragé qui enfin a trouvé une rive, et à qui on dit «bon, maintenant c'est l'heure de la baignade». C'est sûr, j'aurais préféré qu'une dame très grosse avec une poitrine encore plus énorme m'accueille et m'enveloppe et m'étouffe un peu. Il m'a donné la fiche à remplir. Fiche d'identification personnelle. PIF dans le jargon. PIF pour *Personal Identification Formula*. Pas «pif» dans le sens de «nez». J'ai mis du temps à comprendre, c'est maître Morin qui m'a expliqué. Ça m'a fait du bien que ça s'appelle un PIF parce que c'était le nom d'une revue que m'envoyait mon cousin Mohamed de Paris. Un magazine pour les enfants avec des bandes dessinées, des jeux et un *PIF gadget,* comme un avion à monter, une balle rebondissante, une fronde. Quand je recevais la revue, il n'y avait pas le gadget et les jeux étaient déjà faits, mais j'aimais bien y voir l'écriture de mon cousin et essayer de m'imaginer sa vie à Paris, la vie d'un garçon de mon âge, mais à Paris, là où les Arabes sont des voyous. Mohamed m'avait écrit que tous les

Arabes étaient des voyous pour la survie et que lui aussi deviendrait un voyou quand il serait assez grand, c'est-à-dire l'année prochaine. Je sentais dans sa lettre qu'être un voyou laissait entendre plein de possibilités extraordinaires, ce qui me rendait à la fois inquiet et envieux, alors vous comprenez bien que j'ai pris ma fiche d'identification personnelle très au sérieux, monsieur le commissaire.

Au commissaire (flash-back), sortant de sa rêverie.

Pardon? Oui, j'ai bien écouté. J'ai pourtant rempli ma fiche d'identification personnelle au mieux de mes connaissances, monsieur le commissaire. Je ne sais pas si ce sont des intégristes, ou bien des soldats de l'armée qui se sont fait passer pour des intégristes, voilà pourquoi mon témoignage manque de précision, pour reprendre vos termes. Tout ce que je sais, c'est que je ne suis pas pratiquant et que ça ne plaît pas à tout le monde. ... Non. Je suis athée et féministe. Non, c'est mon épouse qui est enseignante. Moi, je m'occupais du café et je l'aidais parfois à corriger les copies quand elle était trop fatiguée. Non, il n'y avait aucune activité politique dans ce café, les gens n'y parlaient que de choses insignifiantes. C'était un café exprès pour ça, à vocation insignifiante. C'est très naïf de croire qu'il suffit de prendre un café pour qu'il se trame quelque chose. ... Parce que nous avions reçu des coups de téléphone étranges. Je ne sais pas combien, quelques-uns... alors je suis venu ici le premier... Oui, je connaissais le danger et j'avais insisté pour qu'ils me rejoignent le plus vite possible. Pardon? Ma femme et nos trois enfants, je voulais les faire partir le plus tôt possible, mais ma femme tenait à terminer l'année scolaire. Bien sûr, elle était au courant des menaces mais elle voulait honorer son contrat. Elle ne voulait pas abandonner ses élèves avant les examens. Pardon? Je ne crois pas qu'il soit juste de dire que j'ai abandonné ma famille. J'ai quitté l'Algérie le plus rapidement possible dans le but de préparer la venue de ma famille à Montréal.

À sa femme (flash-back).

Écoute-moi, Fatema. Je te promets qu'il n'y a aucun risque. Le camion de livraison fait le trajet tous les jours, vous arriverez chez Saïd avant la nuit. Rappelle-toi bien: vous attendez la livraison au café, comme d'habitude. Vous déchargez le camion avec le gars, comme d'habitude. Tu lui donnes l'enveloppe. Discrètement, tout en déchargeant, vous glissez vos bagages dans le camion. Tu entres avec les enfants dans le camion. Vous ne faites aucun bruit. Il y aura des barrages. Tout ira bien. Ils connaissent le gars de la livraison, ils ne fouillent plus depuis longtemps. Tout va très bien se passer. J'appellerai chez Saïd pour avoir des nouvelles.

À la Cour d'appel (flash-back).

Je récapitule, monsieur le juge. Ma famille devait partir le 25 juin au matin dans le camion de livraison qui devait les amener au Maroc. Durant la nuit précédente, ils ont tous brûlé avec la maison. Quelqu'un était donc forcément au courant de l'arrangement. J'ai appris la nouvelle par mon frère Saïd le matin du 26 juin. Et maintenant j'apprends que je ne suis pas un réfugié politique au sens de la Convention. « (…) pour ces motifs, le présent tribunal conclut que le demandeur n'a pas qualité de réfugié au sens de la Convention, ni celle de personne à protéger, de sorte que sa demande d'asile est rejetée. » Je demande une révision, monsieur le juge.

À Dieu (flash-back).

Je m'appelle Bashir Lazhar et je demande au Grand Patron une petite révision. S'il pouvait revoir sa décision de m'enlever ce que j'ai de plus précieux au monde, ce me serait bien utile pour fonctionner dans la vie. Je sais que la queue est longue au bureau des plaintes, mais tout de même, s'il pouvait me rendre ma famille, je lui ferais une publicité extraordinaire. Il paraît que le marchandage est une étape normale du deuil. Alors je marchande, c'est normal. Je ne veux pas être courageux. Je ne veux pas m'en remettre. Je ne veux pas oublier. Je ne veux pas m'en sortir. Je veux ma femme, je veux mes enfants. Je ne veux pas mourir parce que je sais que c'est pas vrai que je les retrouverai après. C'est pas vrai. La mort n'a pas de prix de consolation. Je ne veux pas être consolé, je ne veux pas m'endormir ou m'étourdir et ne plus savoir. Je veux savoir exactement ma peine, la savoir et la mesurer.

« — Tu m'aimes gros comment, Alice ?

— Gros comme l'univers.

— Pas plus que ça ?

— Oui beaucoup plus.

— Comment, alors ?

— Je t'aime gros comme l'univers, mais en plus grand. »

Il faut tout mesurer.

Je veux tout ça et je ne veux pas demander gentiment. Je ne veux pas que ma famille serve d'exemple à l'humanité. Je veux qu'elle vive sans rien apprendre à personne. Je veux penser à ma femme et que ça me fasse sourire, comme avant. Je ne veux pas être plus fort. Je ne veux plus rien de ce que je voulais. Je ne veux pas de papiers, je ne veux pas de travail, je ne veux pas de statut, je ne veux pas la paix. Je veux ma famille, même ma famille qui aurait peur, même ma famille qui aurait le mal de cœur, je la veux même en sueur et en frissons et en courbatures et en migraine, je la veux pour faire semblant encore une fois, pour faire comme si, pour faire comme si je pouvais la sauver une dernière fois.

À son avocat (flash-back).

Comment, pas assez émotif? Qu'est-ce qu'il fallait que je fasse de plus, maître Morin? Que je me répande devant le juge? Il fallait raconter les faits, j'ai raconté les faits. … Le choix des mots… Oui, j'avais révisé la feuille que vous m'aviez fournie, regardez, je l'ai sur moi : … subit, terrible, contraint, agressé, menacé, tué, assassinat, fuir, s'enfuir, urgence, victime, guerre, dénonciateur, charnier, torture, peur, terreur, horreur, massacre… Vous voyez, j'ai mon dictionnaire de poche du réfugié politique. Ils ne m'ont pas trouvé crédible. C'est pas mon genre d'implorer. Je crois que je mérite d'être un réfugié politique. Il me semble que j'ai tout ce qu'il faut pour être un réfugié politique. Moi, je me croiserais dans la rue, je dirais «tiens, un réfugié politique».

À Claire – cafétéria.

Il lit un journal en mangeant plus ou moins son sandwich. Il sursaute.

Ah, bonjour. J'étais dans mes pensées. … Bien sûr, je vous en prie. Ah, vous avez changé vos cheveux?… Ah oui, ça se voit, c'est très… voyant. C'est… rouge, c'est très… ça vous va bien, c'est très présent. *(Silence gêné.)* J'étais sur le point de terminer, nous avons si peu de temps pour manger et j'aime bien me promener un peu avant de reprendre le travail. … Oh, je lisais un peu ce qui se passe dans mon pays. … Non, je ne parle pas de l'Algérie, mais d'ici. Mais non, ne vous excusez pas. … Ça fait un certain temps, alors je me sens un peu chez moi. Je sais pas si je devrais. *(Long silence. Il essaie de lire.)* Comment?… Ah, très bien. Je me sens très bien dans cette école, merci, et vous?… Oui, le contexte qui m'a permis d'être ici demeure très lourd, j'imagine que votre collègue vous manque à tous. … La psychologue doit faire un travail formidable, oui, mais une demi-heure par semaine, avec des enfants qu'elle ne connaît pas… Moi? Moi, je dois leur apprendre des choses. C'est mon travail. Bien sûr, je ne suis pas familier avec le système québécois, mais je peux vous dire que les enfants sont les mêmes partout. Et puis, moi, il me faut des enfants autour de moi. Je respire mieux. Quand il n'y en a pas où je me trouve, je les cherche des yeux. Je cherche jusqu'à ce que j'en trouve un. Pardon? Vous voulez dire des enfants à moi? Non. Ah non, ce serait terrible, je m'arrêterais de travailler, je ne les lâcherais pas des yeux, je ne les quitterais jamais pour que rien ne leur arrive. Vous imaginez cet enfer pour des enfants?

En classe.

Pour les devoirs maintenant… Silence, s'il vous plaît. … Merci. Nous nous étions quittés hier sur une discussion autour de la fable *Le loup et l'agneau* de Jean de La Fontaine. Cet échange m'a paru tellement intéressant que je souhaite pousser plus loin le questionnement sur la justice. «C'est pas juste» et «J'ai le droit» sont parmi les phrases que vous prononcez le plus souvent en vingt-quatre heures. C'est pas juste. J'ai le droit. Tout ceci étant plutôt limité comme raisonnement, je vous donne l'occasion d'approfondir la question en composant une fable dont le sujet sera l'injustice et dont la morale vous donnera, bien sûr, raison. Vous pourrez ainsi revendiquer tout à votre aise et vous adonner à la grande joie de l'écriture. Silence, s'il vous plaît. … Et pour que tout ceci soit «juste», je me donne le même exercice à faire! Ah! Ça vous plaît, hein? Oui, vous avez bien compris : je m'impose le même devoir, avec la même échéance. C'est à remettre dans une semaine. Vous pouvez partir, maintenant. Oh, et je vous en prie : Pour la fable, ne faites pas rimer à tout prix, c'est souvent désastreux!

Rencontre avec Claire Lajoie (il marche en rond comme s'il cherchait toujours à rattraper son pas).

Bonjour Claire! Ah, je suis très très content de quelque chose… et je voulais vous raconter la petite trouvaille… en tant que collègue… je ne sais pas ce que vous en penserez, remarquez, peut-être que vous y aviez déjà songé il y a longtemps, mais pour ma part, il s'agit d'une trouvaille dont je ne suis pas peu fier… Vous êtes pressée? Ah! Bien, je vais dans la même direction! … Pardon? Vous aviez remarqué, oui. … Bref, voici mon petit stratagème : Les élèves trouvent toujours que c'est injuste qu'ils aient des devoirs et nous, pas, n'est-ce pas? Et, bien entendu, ils ne considèrent pas que les copies à corriger sont nos devoirs à nous; ils prétendent que les copies à corriger sont seulement les conséquences de leurs devoirs à eux. Eh bien, je leur ai annoncé que je me suis donné exactement le même devoir de rédaction que je leur ai donné... Ils étaient très excités à l'idée que le professeur ait un devoir, vous comprenez? Mais ce qu'ils ne savent pas, c'est qu'ils vont avoir à corriger ma copie! Ingénieux, n'est-ce pas?... Vous ne voulez pas vous arrêter un peu?... J'y glisserai des fautes d'orthographe, des erreurs de style, et tout et tout... Et alors ils verront... Claire, vous ne semblez pas très enthousiaste... Ils verront que la correction est un acte éprouvant, dans la mesure où elle est faite avec le soin de rendre justice à celui qui a travaillé. Je donnerai une copie de ma rédaction à chaque élève, et je noterai leur correction. Les corrections les plus judicieuses, les plus constructives et les plus impliquées se verront attribuer le plus de points... Je vous agace, n'est-ce pas? Pourquoi vous dites ça? Je tenais simplement à partager cette expérience avec vous... Je vous ai chiffonnée l'autre jour, mais oui, je vous ai chiffonnée, mais oui, vous m'en voyez désolé. J'adore le théâtre et j'adore vos cheveux rouges. ... Ah oui? Et c'est le fond de votre pensée? Et pourquoi dites-vous ça?... C'est dur, ce que vous me dites là. Je voudrais être convaincu de votre bonne foi... Parfois on dit des choses sous le coup de la vexation... Non, je croyais que j'étais plutôt apprécié. Oui, apprécié. ... Quoi? Qui vous a dit ça?... C'est ridicule! Qui vous a dit ça? Ah oui, c'est vrai, ça vous êtes très forts ici pour ne nommer personne. Pourtant, qu'est-ce que vous risquez en nommant quelqu'un, ici? Dites-moi, qui vous a dit ça? Je veux simplement savoir de qui j'ai été mal compris. J'ai jamais dit une chose pareille. *(On sent qu'elle s'éloigne.)* Et vous partez comme ça?

Vous ne voulez pas être vue avec moi ? C'est vous qui m'avez abordé, qui avez fait des minauderies pour que je vous remarque ! C'est vous !

Bureau de la directrice.

Vous m'avez convoqué, madame la directrice ? … Oui, bien sûr. *(Il s'assoit.)* Je veux bien, mais mes élèves sont seuls, la cloche a sonné… Ah bon. Très bien. *(Long silence. Il écoute.)*

Attendez, je vous arrête tout de suite. Ce n'est pas parce que je suis Arabe que je ne respecte pas la femme. … Non, mais j'entends très bien ce que vous voulez dire, laissez-moi poursuivre, s'il vous plaît. J'en ai marre du bruit qui court. Je respecte les femmes, les hommes, et toute la vie, je respecte aussi tous les morts, y compris madame Lachance, que je n'ai pas connue. Nous avons abordé le thème de la violence avec mes élèves, ce qui m'a amené à comparer la mort d'un village à celle d'un individu. … Non, je n'ai pas banalisé le geste de madame Lachance, mais non, je ne l'ai pas relativisé non plus ! Non… Si un seul élève n'a pas eu la finesse de comprendre ma pensée, je me ferai un plaisir de la clarifier pour lui. Eh bien, s'il préfère garder l'anonymat, je reviendrai sur la question devant toute la classe… Les parents ? Mais je peux leur expliquer aussi… Mais enfin je n'ai jamais dit ça ! On ne peut pas quantifier l'horreur, ni la détresse, mais à choisir entre deux martyres, je préfère la femme qui est morte pour protéger ses enfants à la femme qui est morte en jetant son désespoir à la face de toute une école, et c'est tout ce que j'ai voulu dire à mes élèves.

Il tente de l'écouter mais part dans ses pensées.

Je ne prends rien à personne, moi. Vous devriez me garder, je ne prends pas beaucoup de place. Je remplace. S'il n'y avait pas de place, je ne remplacerais personne. Je ne prends donc la place de personne puisque je remplace quelqu'un qui est parti. Moi, je veux juste un tableau noir avec des yeux qui le regardent. Juste un tableau sur lequel je peux effacer et recommencer et des mains un peu petites qui s'agitent comme des drapeaux, toujours impatientes avec la petite bosse de corne à l'intérieur du majeur parce qu'elles auraient trop écrit, et un tableau qui a une seule page et plein de dessins dessus et, moi, je serai celui qui efface pour recommencer, et ceux qui voudront s'ennuyer, je les laisserai regarder par la fenêtre sans les gronder parce que je sais comme il est bon de regarder par une fenêtre en sachant que quelqu'un est en train d'effacer le tableau pour recommencer. Les enfants tiennent leur coude avec la main qui n'est pas en l'air, comme ça, pour bien montrer qu'ils attendent la parole depuis trop longtemps, et moi, comme un chef d'orchestre, je pointe à qui le tour, d'autres fois ils s'étirent pour que leur main touche le plafond, et ils agitent leur drapeau comme s'ils se noyaient, et alors je me dépêche de leur faire signe. Ou au contraire s'ils croisent leurs deux bras et regardent leur pupitre comme s'ils voulaient plonger dedans, comme une proie à découvert qui regarde le sol en se croyant invisible, moi je les laisse tranquilles parce que je ne veux prendre personne en flagrant délit d'ignorance. Je suis un excellent remplaçant. Je suis un excellent réfugié politique. Les enfants qui vont à l'école sont orphelins pour la journée. Orphelins quelques heures par jour, ça fait beaucoup d'heures d'orphelinat dans une année, alors il faut très bien savoir remplacer. D'ailleurs, il paraît que personne n'est irremplaçable.

Il s'adresse maintenant à la directrice.

Madame la directrice, il est écrit que le professeur a le droit d'utiliser tout document qui lui paraît propice à l'enseignement de sa matière première, même si le document en question n'est pas compris dans la liste d'ouvrages scolaires choisis par le ministère. Le travail d'Alice Lécuyer m'a paru essentiel à un apprentissage. J'ai assumé les frais de photocopie, j'ai envoyé le texte en mon nom personnel, je ne vois pas en quoi j'ai désobéi, mon courrier n'était pas une lettre officielle de l'école, mais un moyen de communiquer avec les parents de mes élèves... Je ne représente pas pour autant votre école quand je pose des gestes individuels. ... Mais je me suis montré disponible à rencontrer les parents lors de la remise des bulletins et mon bureau est resté désert. Croyez-moi, madame la directrice, mon intention n'était pas de jouer dans votre dos, mais simplement de... de faire circuler une pensée qui représente de manière assez juste l'état de mes élèves, je crois. Peut-être que je n'aurais pas dû... que... Je suis prêt à recevoir les plaintes, ce n'est pas à vous de subir l'humeur de ceux qui n'ont pas compris ma démarche... Qu'est-ce que vous entendez par «trop tard»?... Ah oui? Ah oui. *(Silence.)*

Ne soyez pas désolée. ... Et le remplaçant est déjà dans la classe? ... Bien entendu, vous saviez depuis un certain temps que... oui, évidemment. *(Silence.)* Et vous saviez que je n'avais pas le droit de travailler?

Bureau de Bashir Lazhar.

Oui, Alice? ... Merci, Alice. ... Je ne sais pas... Il est bien, votre nouveau remplaçant? Ne dis pas ça. Personne n'est irremplaçable. ... Oui, pourquoi pas.

… Non, tu as raison, je ne reviendrai sûrement pas. Et tes parents, est-ce qu'ils se sont fâchés quand ils ont lu ton travail? … Bien. Bien, bien. … Là? Tu vois, je range tout… Enfin, je n'ai pas grand-chose, mais je prends mon temps. … Tu sais, il fait beau, tu devrais aller en récréation. Prendre l'air. Prendre le soleil. Tu devrais y aller. Et en revenant tu poseras des questions, en classe, au nouveau remplaçant. Si tu savais comme ça fait du bien de se faire poser une question. Même si tu ne sais pas quoi demander, invente quelque chose, et s'il veut t'apprendre quelque chose que tu sais déjà, fais semblant que tu l'ignorais complètement et que c'est merveilleux. Ça lui fera plaisir. Il se sentira moins seul. Mais, pour l'instant, va jouer. Va prendre tout ce que tu peux prendre. Va avec tous les enfants qui sont vivants. Vous, les enfants vivants, vous devez égayer les cours de récréation. Dans le monde entier, c'est ce qu'on vous demande. De nous égayer. Alors, vas-y. Lance quelques cris aigus, allez, faut pas lâcher, faut pas lâcher ton rôle d'enfant qui fait l'oiseau, qui fait la mouette, il faut continuer jusqu'à ce que d'autres te remplacent dans la cour de récréation. Il faut faire durer la gaieté le plus longtemps possible et dérider la cour qui est pleine de rides et sauter s'il y a une flaque et parler trop fort parce que les enfants parlent trop fort et tourner sur toi-même parce que c'est beau un enfant qui tourne sur lui-même, et montrer à tout le monde que ton corps peut faire tout ce qu'il veut, mine de rien montrer qu'il est à peine né, tout juste déplié, et si léger qu'un seul rire le secoue tout entier et ouvrir ton manteau quand il y a du vent et sortir la langue quand il y a de la pluie et fermer les yeux quand il y a de la neige jusqu'à ce que tes cils soient blancs et collés, c'est ton rôle, c'est ce que tu dois faire même si le cœur ne t'en dit pas, c'est ce qu'on veut des enfants. Alice? Tu es toujours là? Et comment il s'appelle, le remplaçant? Ah, c'est une femme. Une remplaçante. C'est bien mieux. C'est plein d'amour maternel.

Il tend une feuille. Noir.

On entend une voix d'enfant, tandis que Bashir lit sa fable.

ENFANT
La jeune fille et l'avion bleu de Bashir Lazhar.

BASHIR
Il n'y a rien à dire sur une mort qui n'est pas juste.
Rien du tout. Nous l'allons montrer tout à l'heure.

Une nuit de Juin,

ENFANT
j minuscule

BASHIR
une fille aux cheveux bruns rêvait d'une avion bleu.

ENFANT
Un *avion bleu*

BASHIR
Un avion qui ne surveillait rien et qui ne lançait rien,
un avion qui ne servait qu'à voyagé.

ENFANT
voyager, e-r

BASHIR

La petite fille, qui rêvait en toute liberté et en toute ignorance, ouvra

ENFANT

ouvrit

BASHIR

son petit hublot pour avaler l'air du ciel. Quand elle croisait un nuage, elle en prenait une bouchée, quand elle croisait un oiseau, il avait de l'air surpris

ENFANT

il avait l'air *surpris.*

BASHIR

La fille aimait sentir l'air froid sur son visage, et aussi sur ses paupières puisqu'elle fermait ses yeux. Dans son rêve, elle se disait : « Comme j'aimerais que cet avion bleu ne soit pas un rêve ! » Elle passa la langue sur ses lèvres pour pouvoir sourire, mais sa bouche était complètement desséché

ENFANT

s'accorde au féminin, é-e

BASHIR

Elle avait très chaud et très soif à la fois. Elle voula

ENFANT

voulut

BASHIR

demander à une hôtesse quelque chose à boire, mais tous les passagers de l'avion bleu s'étaient mis à crier qu'ils avaient chaud et soif en même temps, et elle

44

n'arrivait pas à se faire entendre. Elle passa la tête par
le hublot et regarda en bas. C'était la mer qui lui disa

ENFANT

qui lui dit :

BASHIR

« Saute dans mes bras ! Je vais t'attraper ! Bouche ton
nez et saute ! Vite, il fait trop chaud ! Tu vas brûler ! »
Mais la petite fille ne voulait pas sauter, elle avait très
peur. La mer lui dit : « Allez, saute, ce n'est qu'un rêve
après tout. » Alors la petite fille sauta et se noya, mais
l'ennui, c'est qu'elle ne se réveilla jamais du tout.

ENFANT

Ça ne se dit pas, « jamais du tout ».

Après avoir remplacé Martine Lachance, Bashir
Lazhar fut remplacé par Audette Leclerc, qui fut
remplacée par Cristina Durso, qui fut remplacée
par Nicole Simard, et il paraît que nous ne sommes
pas tout à fait prêts pour le secondaire avec tous ces
remplacements. Mais moi, je suis devenue une experte
dans l'accueil des remplaçants. Je les regarde tous avec
des yeux brillants pour qu'ils voient bien que je suis
une assoiffée de connaissances. C'est important pour
un remplaçant de sentir qu'il a affaire à des assoiffés
de connaissances. L'estime de soi d'un remplaçant,
c'est fragile, parce qu'à force de remplacer les autres,
c'est dur de prendre sa place dans la vie. Quand
je pense à ça, c'est comme si on me demandait de
combler un vide trop grand pour moi, ou de rentrer
dans des souliers trop petits. L'un ou l'autre, ce n'est
pas très confortable.

OUVRAGE RÉALISÉ PAR
LUC JACQUES, TYPOGRAPHE
ACHEVÉ D'IMPRIMER
EN MAI 2023
SUR LES PRESSES
DE MARQUIS IMPRIMEUR
POUR LE COMPTE DE
LEMÉAC ÉDITEUR, MONTRÉAL

DÉPÔT LÉGAL
1re ÉDITION : 3e TRIMESTRE 2011
(ÉD. 01 / IMP. 20)